Ma première mission !

...pour les enfants qui apprennent à lire

premières lectures

Le texte à lire dans les bulles est conçu pour l'apprenti lecteur. Il respecte les apprentissages du programme de CP :

le niveau TRES FACILE correspond aux acquis de septembre à décembre,

le niveau FACILE correspond aux acquis de janvier à juin.

Cette histoire a été testée à deux voix par Francine Euli, enseignante, et des enfants de CP.

Cet ouvrage est un niveau Facile.

© Éditions Nathan (Paris, France), 2011
Loi n° 49-956 du 16 juillet 1949 sur les publications destinées à la jeunesse
ISBN : 978-2-09-252978-2
N° d'éditeur : 10170798 - Dépôt légal : août 2011
Imprimé en France par Pollina - L57657b

Ma première mission !

Texte de C. Nicolas et R. Chaurand

Illustré par Bérengère Delaporte

Le chevalier Bernard,
le plus fort de tous
les chevaliers, a choisi
Solal pour écuyer.
Un écuyer,
c'est un serviteur
de chevalier.

Ensuite, un écuyer peut devenir chevalier. Peut-être. Mais avant cela, il lui faut un équipement.

En route pour la foire !

5

Sur le chemin, il faut faire attention.
Il y a parfois des bandits de grand chemin
ou d'autres chevaliers qui veulent faire
une bonne bagarre avec Bernard.

Au secours, chevaliers!

Et il y a aussi des gens
qui ont besoin d'aide.

C'est un paysan et sa fille qui se rendent eux aussi à la foire. Mais leur charrette a une roue cassée. Et changer la roue sur cette pente va être très difficile. Il faudrait au moins dix hommes!

Le monsieur ne connaît pas le chevalier
Bernard. Bernard est fort, très fort.
C'est le meilleur, même pour changer
une roue.

Le monsieur et Bernard soulèvent
la charrette. C'est dur !
Bernard regarde Solal :
c'est à l'écuyer
de changer
la roue.

Mais Solal rêve aux nouvelles bottes qu'il va avoir, il n'est pas trop à ce qu'il fait. Alors, Bernard parvient à mettre un coup de pied aux fesses de Solal pour le sortir de sa rêverie.

Au travail, Solal!

L'écuyer retire la roue cassée. Oui !
Mais, pris par son élan, il tombe
à la renverse et dévale la pente.
Le voilà dans le fossé !

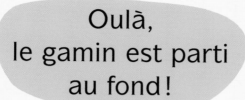

Maintenant il faudrait installer la roue
de secours. Mais Solal n'est pas là
et sans lui, la charrette risque de glisser
à son tour. Heureusement, un voyageur
arrive. Il va pouvoir les aider.
Quelle chance !

Mais non. Oh, non! Ce n'est
pas vrai. Flûte.

Oulà,
c'est la fouine!

En effet, c'est Géraud la Fouine.
Un sacré voleur. Une fieffée fripouille.

Hin hin! Salut
la compagnie,
un coup
de main?

Géraud voit Bernard qui retient la
charrette. Puis, il voit le paysan épuisé
et la fillette sans défense. Il se dit
qu'il y a sûrement des tas de choses
à voler! Il en ricane d'avance...

Géraud grimpe dans la charrette.
Ça fait encore plus de poids pour Bernard
et le paysan. Le chevalier est très fort,
mais il commence à fatiguer.

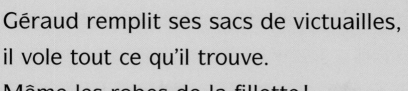

Géraud remplit ses sacs de victuailles,
il vole tout ce qu'il trouve.
Même les robes de la fillette !
Le bandit ricane de plus belle.

Maintenant,
c'est moins lourd !
On dit merci qui ?

19

Ah! Revoilà Solal, il a non seulement réussi à sortir du fossé, mais il a surtout cueilli des fraises des bois.

Et Géraud se lance à la poursuite
de Solal.

Soudain,
Solal s'arrête:

Ho non,
mes fraises!

Dans son élan, Géraud ne s'arrête pas,
il trébuche sur Solal et va rouler au fond
du fossé.

D'un signe de tête, Bernard montre
la roue à Solal. Solal a compris
sa mission : il attrape la roue de secours.
Avec l'aide de la fillette, il parvient à
la mettre en place sur le moyeu.

Tous dégustent maintenant les fraises des bois de Solal.
Solal a aussi fouetté de la crème fraîche avec des brindilles de noisetier.
C'est très bon !

Vous m'en donnez un peu ?

Le château de Saint-Just apparaît enfin.
Le drôle d'équipage fait son entrée
dans le bourg.

Tu vas encore tomber, Solal !

Plus tard, tous se retrouvent dans l'échoppe du bottier.

Oulà,
je lui paie
le pied gauche,
au petit !

Solal est très fier de ses nouvelles
bottes. Mais il y a encore un petit
problème, on dirait !

C'est lequel,
le gauche ?

Eh non, on ne devient pas chevalier
en un jour !

À la rentrée de septembre, les enfants de CP entrent doucement en lecture. Afin de les accompagner dans cette découverte et d'encourager leur plaisir de lire, Nathan Jeunesse propose la collection **Premières lectures**.

Chaque histoire est écrite avec des **bulles**, très simples, et des **textes**, plus complexes, dont les sons et les mots restent toujours adaptés aux compétences des élèves dès le CP.

Les ouvrages de la collection sont tous **testés** par des enseignants et proposent deux niveaux de difficulté : **Très Facile** et **Facile**.

Cette collection est idéale pour la mise en place d'une **pédagogie différenciée**, mais aussi pour une **lecture à deux voix**. Elle permet en effet de mêler la voix d'un «lecteur complice», que la lecture des textes rend narrateur, à celle d'un enfant qui se glisse, en lisant les bulles, dans la peau du personnage.

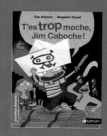

Un moment privilégié à partager en classe ou en famille !

premiers romans

Et après les **Premières lectures**, découvrez vite les **Premiers romans !**

Nathan présente les applications Iphone et Ipad tirées de la collection *premières* lectures.

L'utilisation de l'Iphone ou de la tablette permettra au jeune lecteur de s'approprier différemment les histoires, de manière ludique.

Grâce à l'interactivité et au son, il peut s'entraîner à lire, soit en écoutant l'histoire, soit en la lisant à son tour et à son rythme.

Avec les applications *premières* lectures, votre enfant aura encore plus envie de lire... des livres!

Toutes les applications *premières* lectures sont disponibles sur l'App Store :